A.BOITO
NERONE

G.RICORDI & C.MILANO

NERONE

NERONE

TRAGEDIA IN QUATTRO ATTI
DI
ARRIGO BOITO

RIDUZIONE PER
CANTO E PIANOFORTE
DI FERRUCCIO CALUSIO

(A) Lire 50 —
aumento compreso

G. RICORDI & C.

EDITORI STAMPATORI

MILANO - ROMA - NAPOLI - PALERMO - LONDRA
LIPSIA - BUENOS AIRES
PARIS - SOC. ANON. DES ÉDITIONS RICORDI
NEW-YORK - G. RICORDI & C., INC.

INDICE

LE PERSONE DELLA TRAGEDIA

NERONE . . . . *Tenore*

SIMON MAGO . . . . *Baritono*

FANUÈL . . . . *Baritono*

ASTERIA . . . . *Soprano*

RUBRIA . . . . *Mezzo Soprano*

TIGELLINO . . . . *Basso*

GOBRIAS . . . . *Tenore*

DOSITÈO . . . . *Baritono*

PÈRSIDE . . . . *Soprano*

CERINTO . . . . *Contralto*

IL TEMPIERE . . . . *Tenore*

PRIMO VIANDANTE . . . . . . *Tenore*

SECONDO VIANDANTE . . . . . *Baritono*

LO SCHIAVO AMMONITORE . . . . *Baritono*

TERPNOS . . . . *Comparsa*

I VARII AGGRUPPAMENTI DEL CORO:

Ambubaje - Fanciulle Gaditane - Acclamatori - Cavalieri Augustani - Liberti - Fautori di parte *prasina* - Fautori di parte azzurra - Popolo - Schiavi - Plebe - Senatori - Una compagnia di Artisti Dionisiaci - Tre decurie di Guardie Germane - Eneatori - Sacerdoti del Tempio di Simon Mago - Matrone - Classarii - Pretoriani - Cristiani - Aurighi della fazione verde - Aurighi della fazione azzurra.

PANTOMIMI, DANZATRICI, APPARITORI:

Una *puella Gaditana* - L'Arcigallo - Un venditore d'idoli - Un venditore di tavole votive - Un mercante orientale - Un flamine - L'auriga vincitore - L'auriga vinto - Un lanista - Due Mercurii - Due Caronti - Alcuni Etiopi - Viandanti - Lettigarii - Clienti - Servi - Danzatrici Gaditane - Corrieri Mauritani - I due Consoli - Littori - Preconi - Due Tribuni della plebe - Legionarii - Galli - Greci - Rheti - Indiani - Armeni - Egiziani - Fanciulli patrizii - Fanciulli cristiani - Fanciulli Asiatici - Cavalieri - Phalangarii - Matrone - Marinai - Citaredi - Sistrati - Auledi - Ieroduli - Flabelliferi - Tre Tempieri - Alcuni Decurioni - Alcuni Centurioni - Guardie Germane - Gladiatori - Alcuni bestiarii - Istrioni - Sagittarii.

NERONE

TRAGEDIA IN QUATTRO ATTI

PAROLE E MUSICA DI

ARRIGO BOITO

(Proprietà G. Ricordi & C.)

PRIMA ESECUZIONE

MILANO

TEATRO ALLA SCALA

(ENTE AUTONOMO)

1 Maggio 1924

PERSONAGGI

NERONE	Sig. Aureliano Pertile
SIMON MAGO	» Marcello Journet
FANUÈL	» Carlo Galeffi
ASTERIA	Sig.ª Rosa Raisa
RUBRIA	» Luisa Bertana
TIGELLINO	Sig. Ezio Pinza
GOBRIAS	» Giuseppe Nessi
DOSITEO	» Carlo Walter
PÈRSIDE	Sig.ª Mita Vasari
CERINTO	» Maria Doria
IL TEMPIERE	Sig. Emilio Venturini
PRIMO VIANDANTE	» Alfredo Tedeschi
SECONDO VIANDANTE	» Giuseppe Menni
LO SCHIAVO AMMONITORE	» Aristide Baracchi
TERPNOS	» N. N.

MAESTRO DIRETTORE E CONCERTATORE

ARTURO TOSCANINI

Maestri sostituti: FERRUCCIO CALUSIO - PIETRO CLAUSETTI - EDUARDO FORNARINI
MARIO FRIGERIO - GUIDO RAGNI - EMILIO ROSSI - VITTORIO RUFFO - ANTONINO VOTTO

Maestro del Coro: VITTORE VENEZIANI - Maestro della Banda: ALESSIO MORRONE
Maestri suggeritori: ARMANDO PETRUCCI e EMILIO DELEIDE
Coreografo: GIOVANNI PRATESI - Prima ballerina: CIA FORNAROLI
Direttore della messa in scena: GIOVACCHINO FORZANO
Direttore dell'allestimento scenico: CARAMBA

Scene, costumi ed attrezzi su bozzetti di LODOVICO POGLIAGHI

Scenografo: EDOARDO MARCHIORO colla collaborazione di ALESSANDRO MAGNONI

Primo Violino di spalla: *Gino Nastrucci*

Primo dei secondi Violini: *Odoardo Peretti* - Prima Viola: *Guglielmo Koch*

Primo Violoncello: *Antonio Valisi* - Primo Contrabbasso: *Italo Caimi*

Primo Flauto: *Arrigo Tassinari* - Ottavino: *Alberto Trevisan*

Primo Oboe: *Gusmano Trapani*

Corno Inglese: *Filippo Ghignatti* - Primo Clarinetto: *Luigi Cancellieri*

Clarone: *Arturo Capredoni* - Primo Fagotto: *Mazzini Paltrinieri*

Sarrussofono: *Giuseppe Regarbagnati* - Primo Corno: *Michele Allegri*

Prima Tromba: *Edmondo Botti*

Primo Trombone: *Umberto Montanari*

Basso Tuba: *Saverio Scorza* - Prima Arpa: *Giuseppina Sormani*

Organo e Pianoforte: *Antonino Votto* - Celesta: *Eduardo Fornarini*

Xilofono, Sistro e Batteria: *Augusto Bergami*

Gran Cassa e Piatti: *Francesco Veronesi* - Timpani: *Luigi Barilli*

Ispettori del Palcoscenico: *Domenico Duma e Enzio Cellini*

Vice ispettore: *Emilio Rocchi*

Direttori del macchinario: *Giovanni e Pericle Ansaldo*

Costumi della Sartoria Teatrale *Chiappa*

Attrezzi della Ditta *Rancati & C.* di *Sormani Tragella & C.*

Gioielleria della Ditta *Angelo Corbella*

Parrucchieri: *Rodolfo Biffi* e *Rocco Sartorio*

Piume e Fiori della Ditta *Virginia Ranzini*

Istrumenti musicali della Ditta *Strumenti Musicali Bottali*

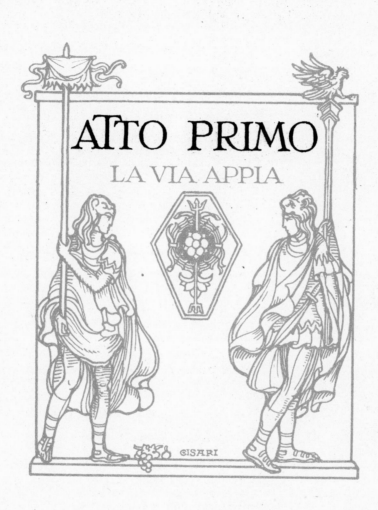

ATTO PRIMO

LA VIA APPIA

LA VIA APPIA

È un campo situato (per chi va da Roma ad Albano) lungo il lato dell'Appia, alla sesta pietra milliaria. La via segue una linea obliqua fra questo e gli altri campi che si estendono dall'altro lato.

La notte è nuvolosa. La luna penetra a stento le dense nubi che la nascondono. Sull'Appia e sulle sue tombe l'oscurità è appena diradata da un barlume cinereo che non proietta ombre: il campo nereggia più cupo.

Sul lato destro della via, dalla parte di Roma, s'innalza un grande sepolcro che si prolunga nell'erba; gli si allinea d'accanto, progredendo verso Albano, una tomba recente su cui sta per estinguersi una lampa funeraria. Tra questa tomba e il milliario lo spazio è libero; poi segue una pietra sepolcrale quadrata e, poco discosto da questa, un vasto tumulo erboso che porta sul suo vertice le vestigia d'un'ara. Altre tombe si schierano sulla fronte sinistra della via. Molti rottami d'antichi monumenti sono sparsi intorno al grande sepolcro ed ingombrano anche il breve spazio che lo divide dalla tomba recente.

Fra questi ruderi un uomo, nelle tenebre, sta scavando una fossa. È Simon Mago Sul margine della via un altr'uomo guarda, immobile come in vedetta, nella direzione d'Albano; egli porta il cappuccio della lacerna sul capo. È Tigellino.

La notte è piena di canti che giungono dalla vasta campagna, dalle lontananze dell'Appia; frammenti di canzoni portati dal vento, dispersi dal vento.

N.B. Pei canti *dietro scena* i colori del diminuendo del *p* al *pp*, sieno attenuati mascherando più o meno la bóc_ ca col cavo della mano senza attenuare l'intensità della voce.

Proprietà G.RICORDI & C. Editori - Stampatori, MILANO.   (Copyright *MCMXXIV, by G.RICORDI & Co.*)

2

6

(Quì sullo scoppio dell'orchestra Nerone fuggente entra in scena ansante, ravvolto in una toga fùnebre e porta fra le braccia un'urna funeraria. È sconvolto dal terrore.)

119599

y

y

12

y

14

(poi s'avvicina a Simon Mago, e con accento con_
citato, staccandolo da Nerone, sommessamente
gli dice:)

Tigellino   *affrett.*   *cedendo un poco*

_rò.   Spin_gilo a Roma,   in_ci_ta____ l'audacia in lui;   s'ei te_me   siam per_

affrett.   *cedendo un poco*

mf—sf   =sf   =sf   sf

ruvido

Nerone
Andante ♩.= 80   (prono sulla fossa ed immobile, incomincia come chi proferisce parole

Tigellino   (ritorna sulla via Appia e s'apposta presso la colonna milliaria)

_du_ti.

Andante ♩ = 80

mf

Più lento   ♩ = 52
preparate con arte)
Nerone (tragicamente)

Que_ste ad un   li_do fa_tal   in_se_

10 Più lento ♩ = 52

pp

p

ben pronunziate le semicrome

119599   *y*

16

Nerone

Poco meno, adagio ♩=50

Ro _ ma!

Simon Mago

Ro _ ma!

Tigellino (dalla via Appia, sommessamente ma energico)

Zitti! Vien gente.

Poco meno, adagio ♩=50

f *sf* *sfp*

p sottovoce

(Passa una famiglia di gladiatori, la precede il *lanista*, riconoscibile alla lunga ferula che impugna; gli sta a fianco uno schiavo con una lanterna — Vanno silenziosi verso Roma — Mentre passano i gladiatori, Nerone rimane addossato ad una tomba nel campo.)

dim.

(Sono passati)

pp *perdendosi*

y

Nerone

(Simon Mago comprime l'urna nella buca.)

-co - ra.

p cresc.   *accel.*   *sf*

(Mentre dura la seguente canzone, Simon Mago piglia la van-
ga e ricopre la fossa)
(dalla parte d'Albano, avvicinandosi)

Un Oboe dall'Appia   *Preludiando*

a piacere

16   Andantino lento

pp   *m.d.*

Viandante (sull'Appia)   *Larghetto* ♪=66
Tenore

E - ros   vi - bra da   l'u - mi-de   ci - glia   lo
col canto

Larghetto ♪=66

p

Viandante   *molto tratt.*

stral   che ri - a-pre l'an-ti - ca fe - ri - ta d'a-mor.
ad libitum   *col canto*   *lento ad libitum*

non lento

p

(Appena il volto di Nerone si scopre, l'Erinni drizza il braccio verso di lui
e con un grido irruente lo nomina:)

Asteria

Ne _ ron!

(Afferra Nerone al braccio sinistro e lo sforza a seguirlo al di là del tumulo. Il velo che copre il capo di Nerone, cade.)

Tigellino

Vie _ ni!

(Nerone fugge con Tigellino dalla parte d'Albano - L'Erinni fa un passo per inseguirlo, ma il corpo di Simon Mago, prosternatole davanti fra le tombe e i ruderi, le preclude ogni via ed essa rimane come impietrita, col braccio teso, atrocemente pallida e cogli occhi sbarrati e fissi sul tumulo da dove è scomparso Nerone)

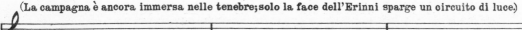

(La campagna è ancora immersa nelle tenebre; solo la face dell'Erinni sparge un circuito di luce.)

20 (Simon Mago genuflesso, a capo chino, osserva celatamente, girando in basso gli sguardi, se il campo e la via son rimasti deserti)

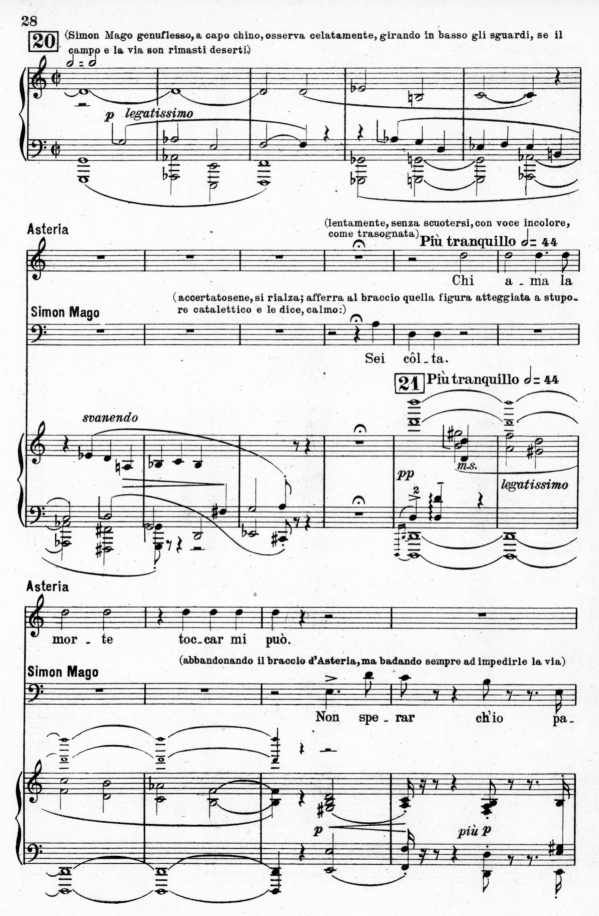

Asteria

(lentamente, senza scuotersi, con voce incolore, come trasognata) Più tranquillo ♩= 44

Chi a _ ma la

Simon Mago

(accertatosene, si rialza; afferra al braccio quella figura atteggiata a stupore catalettico e le dice, calmo:)

Sei côl _ ta.

21 Più tranquillo ♩= 44

svanendo

pp   m.s.   legatissimo

Asteria

mor _ te toc _ car mi può.

Simon Mago

(abbandonando il braccio d'Asteria, ma badando sempre ad impedirle la via)

Non spe _ rar ch'io pa_

p   più p

34

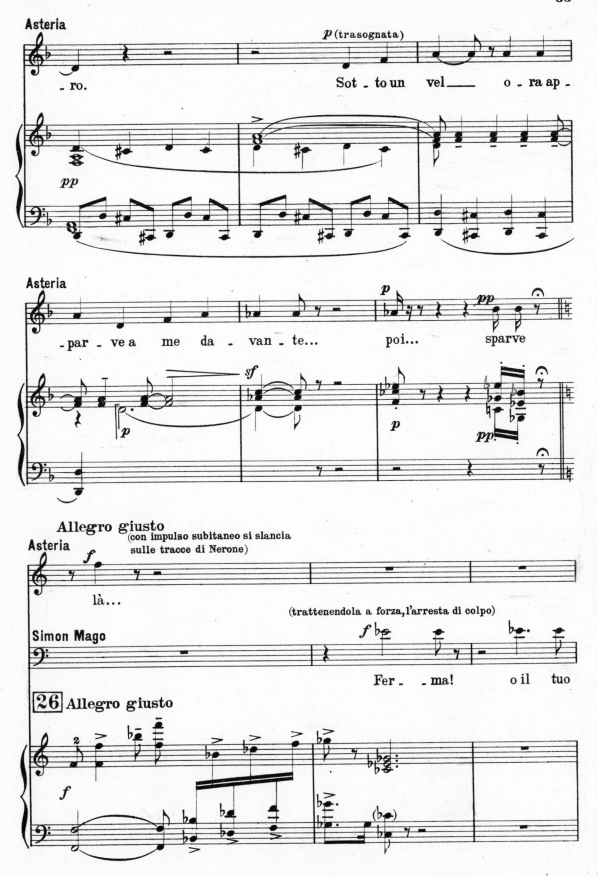

Asteria (dibattendosi dolorosamente fra le mani di Simon Mago)

Vo' seguir _ lo... pie_tà! L'or _ ror m'at _

Simon Mago

Dio ti sfug_ge.

appassionato

Asteria

_ti _ ra co _ _ me un a _ man _ te...

espressivo

Asteria (languidamente)

nel l'e_sta_si vi _ _ vo de' vi _ o _ len _ _ ti

espressivo

(si abbandona sulla tomba che le sta dietro; quivi, giacente, rimane. Simon Mago scende tre gradini della cripta, colla face in pugno
e scompare sotterra sull'ultimo.................................. do)

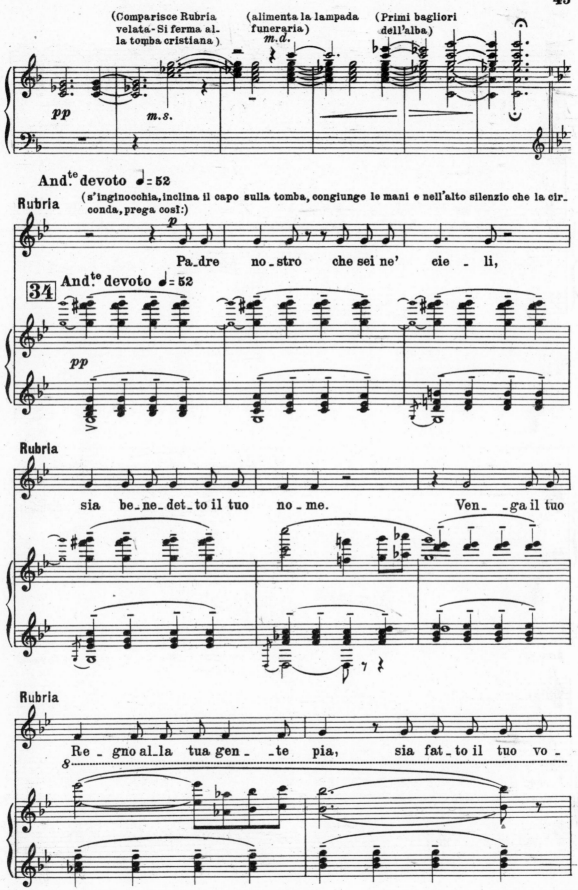

Asteria

All⁰ focoso (e fugge impetuosamente verso Albano. Rubria ritorna davanti alla tomba a pregare.)

39 Molto calmo

pp

(Fanuèl passa sull'Appia d'accosto a Rubria, la vede, s'arresta, la guarda assorta nella sua preghiera-)

pp

Rubria (solleva il capo, volge il viso, lo vede e lo nomina:)

Fa_nuèl!

Fanuèl

40 Non t'al _ zar. Il nostro ad_dio_ sia questa

p

Fanuèl

pre _ ce che sa _ le al Si _ gnor fra i ba_glio _ ri del _ l'al_ba.

88

(Rubria ricomincia a pregare con intenso fervore- Fanuèl continua a guardarla fissamente.)

56

(Rubria si vela il viso e s'avvia rapidamente verso Roma.- La luce, mite ancora e senza raggi, a grado a grado discopre le cose remote, gli edifici sparsi qua e là nel fondo della campagna, gli archi del doppio acquedotto dell'acqua *tepula e Marcia*, qualche fastigio dei monumenti sepolcrali della via Latina.

Molto lontano, forse dall'ottavo milliario, s'odono squillare nel puro silenzio dell'alba, alcuni appelli di trombe.

Simon Mago, senza accorgersi d'essere osservato, s'è messo in ascolto, si dirige verso il tumulo, lo sale insino alla cima e guarda attentamente dal lato d'onde giungono gli squilli.)

119599

88

Simon Mago

Un Tempio e-ter_no che sog-gio-ghi

p legato

Simon Mago

l'Or_be, e su l'al_ta_re

sf

Simon Mago

tu, Pro_fe_ta e Re. Tut_to l'in_cen_so che l'e_te_re as_

mf *pp*

Simon Mago

_sor_be va_po_ra, immensa nu_vola, al tuo pie? Guar_da quag_

62

Simon Mago

rit. un poco

_fan _ _ de con _ fu _ _ se _ nel_

rit. un poco

Simon Mago

a tempo   _movendo un poco_

_vi _ zio_   _plau _ _ _ do _ no a_

[50]

a tempo   _movendo un poco_

Simon Mago

allargando

_Ro _ _ _ ma_   _che can _ ta_   _e che_

allargando

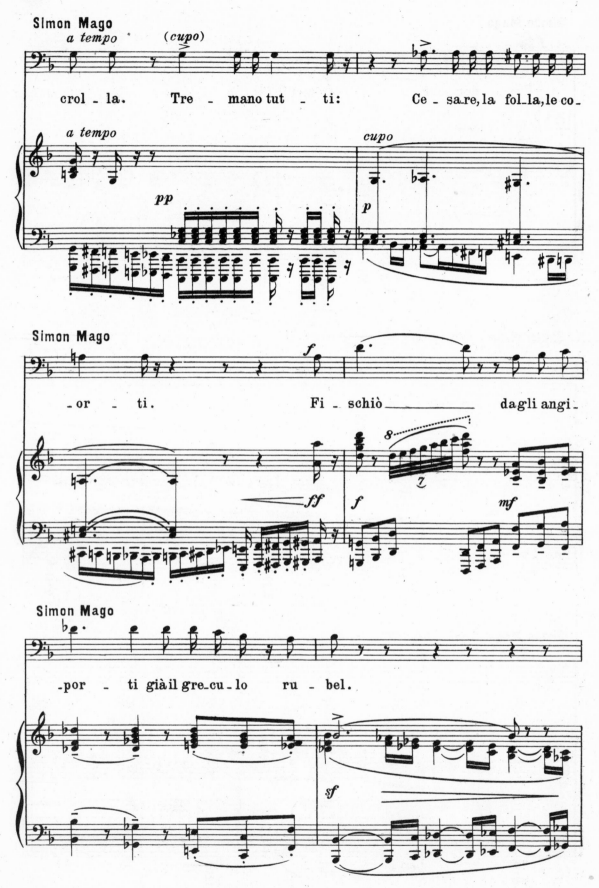

(Si sfidano collo sguardo come due fieri nemici, prendendo due vie opposte – Fanuèl ritorna sull'Appia e se ne va verso Roma. Simon Mago scende dal tumulo e s'allontana dalla parte di Albano.)

(La scena è ancora vuota e va poco a poco rischiarandosi dai primi riflessi dell'aurora.)

(Nerone e Tigellino ritornano da un sentiero dei campi e s'arrestano al tumulo. La toga di Nerone, tutta scomposta, lascia vedere una mirabile tunica oloserica tinta di porpora jacintina e sparsa di palme
d'oro. Nerone porta al braccio sinistro un'armilla di pelle di serpe chiusa da una borchia di gemme.
Ha, come Tigellino, un focale di seta annodato intorno al collo, sul petto una collana d'ambra mista a
molti amuleti; dalla cintola gli pende un largo smeraldo ovale attaccato ad una catenella di perle.)

Tigellino

-sag_gio, cre _ de col _ ta Agrip _ pi _ na or _ den_do la tua

Nerone

p   *rit.*

Al_la men_zo_gna fin_gon dar

Tigellino

mor_te, poi ____ da sè stessa uc_ci_sa.

Nerone

a tempo

fe _ de.   Se ri_var_co le

Tigellino

f

E lor vil_tà ti gio _ va.

a tempo f risoluto

Nerone
Sostenuto
fol_ _go_re
spar_se a Ro_ma il cla_
Sostenuto
ff
Nerone
sostenuto
(con maggior ira e minaccia)
_mor del mio ri_tor_no?
Tu! ri_
Tigellino
(arditamente dal tumulo)
Io.
sostenuto
mf
violento
f
Nerone
_bal_do! vi_o_len_za por_ti sui dubbi miei?
Tigellino
Sì, per sal_
f
p

(Si slega dal collo il
focale di seta rossa
e lo agita nell'aria.)

Tigellino

_var _ ti.   Mi _ ra!   A   que_sto cenno il cor_teo s'in_cam_

Più mosso ♩= 138
Tigellino

_ mi _ _ _ _ na.

63 Più mosso ♩= 138

pp

Ped.

cresc.

f

Meno mosso ♩= 76

(Mentre Tigellino sventola ancora il focale s'ode squillare non lontano una chiamata di buccine come per un esercito in marcia. Dalla via di Roma i clamori aumentano.)

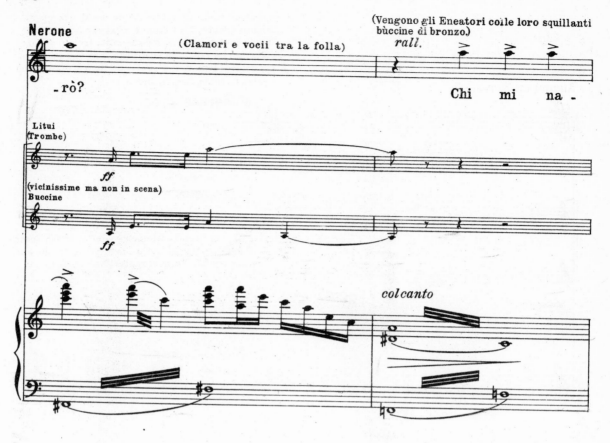

(Segue un vasto carro tratto da cavalli, pomposa_
_mente ornato, dove stanno aggruppate, gittando
fiori e cantando, le Ambubaje, cinte il capo di mitre
siriache. Le fanciulle Gaditane seguono la teoria
del corteo danzando e gettando fiori. Portano in_
_censieri, cetre, lire, *barbiton*.)

(Appena dato lo squillo precedente, 4 trombettieri
salgono sul tumulo, disposti in varie altezze, al_
_tri 2 saliranno sulla tomba della sponda destra
dell'Appia, altri 2 sulle tombe della sponda sini_
_stra. I tre buccinatori resteranno aggruppati
sulla via.)

p

(Il corteo s'arresta fra fluttuazioni contrarie.)

119599

p

gio - - - ja!

gio - - - ja!

-van - - za!

-van - - za!

(Il corteo si rimette in marcia. Preceduto dalle fanciulle Gaditane, passa un gruppo di *phalangarii*. Por_
_tano sulle spalle un fèrcolo su cui si innalza una statua di rame, rappresentante una Amazzone.)

72 Grazioso, *come prima*

P dolce

p

102

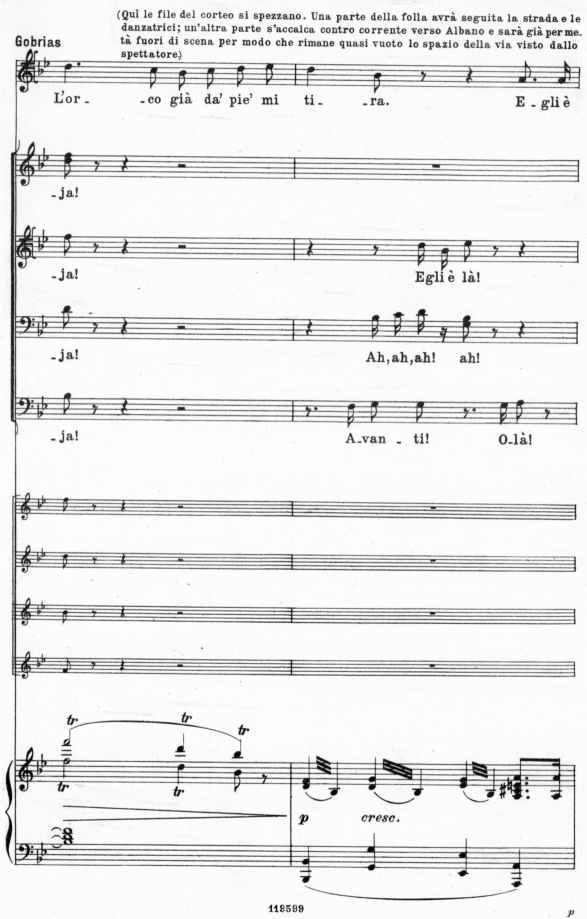

p

108

119599

114

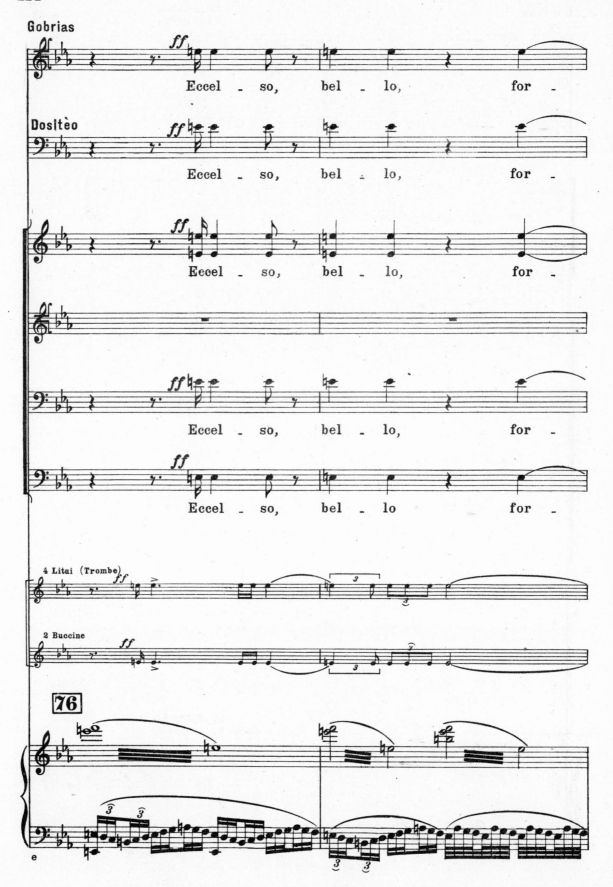

(Passano tre decurie di Guardie Germaniche. Fra le file dei soldati circolano parecchie Ambubaje
o camminano appajate ai soldati giojosamente. Frattanto si avanza un carro, tirato a mano da quat_
_tro schiavi, dove sono accatastati degli attrezzi teatrali. Dietro al carro e d'intorno camminano gli
Artisti Dionisiaci che indossano le loro vesti teatrali.)

(Entra l'*exaforo* che s'avanza lentamente. I littori che lo precedono coi fasci laureati, respingono la folla. L'*exaforo* è portato da sei schiavi Etiopi; una corona di giovinetti Asiatici lo circonda e una torma di pretoriani a cavallo lo segue.)

Mosso

A _ ve! A _ ve, Ne _ ron, tua lie _ ta stel_la splen_de. A _ ve!

A _ ve! A _ ve, Ne _ ron, tua lie _ ta stel_la splen_de. A _ ve!

A _ ve! A _ ve, Ne _ ron, tua lie _ ta stel_la splen_de. A _ ve!

A _ ve! A _ ve, Ne _ ron, tua lie _ ta stel_la splen_de. A _ ve!

A _ ve!____ A _ ve, Ne _ ron, tua lie _ ta stel_la splen_de. A _ ve!

A _ ve!____ A _ ve, Ne _ ron, tua lie _ ta stel_la splen_de. A _ ve!

82 **Mosso**

Gobrias
A-pri il ve-
Dositèo
A-pri il ve-
4 Ambubaje (Sop.e Contr.)
A-pri il ve-
6 Augustani (Ten.)
A-pri il ve-
4 Bar.
A-pri il ve-
4 Bassi
A-pri il ve-
Dionisiaci
Apri il vela - rio!
Apri il velario, apri il vela - rio!
A - pri il ve - la - rio! A-pri il ve-
È Tigel - lino, è Tigellin! A-pri il ve-
È Tigellino, è Tigel - li - no! A-pri il ve-

Nerone (in tunica di jacinto e d'oro irradiato dai primi raggi del sole)

Gobrias — No,

_la_rio!

Dositèo — _la_rio!

Lo schiavo ammonitore — For_tu_na a ter_go.

_la_rio!

_la_rio!

_la_rio!

_la_rio!

A_pri!

A_pri!

_la_rio!

_la_rio!

_la_rio!

dono le cortine della lettiga mentre d'intorno a Nerone piovono fiori e nastri e fronde di palme e ghirlande fra le grida e gli squilli del trionfo. Tutta la scena è irradiata dal sole.)

Fine dell'Atto Primo

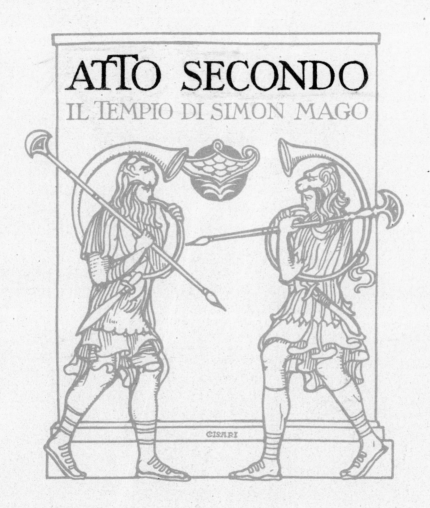

ATTO SECONDO

IL TEMPIO DI SIMON MAGO

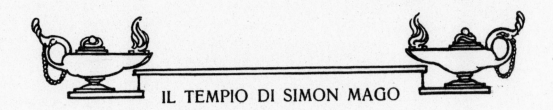

IL TEMPIO DI SIMON MAGO

È un tempio sotterraneo: visto nel senso longitudinale appare diviso in due parti. Un'ampia cortina, tesa fra due pilastri addossati alle spalle d'un arco trasversale, separa il sacrario, riservato ai sacerdoti ed ai loro misteri, dalla cella ove pregano i fedeli.

La cella è affollata da gente d'ogni classe e d'ogni paese: matrone adorne di ricchissime vesti, portanti in capo una preziosa mitella od altre acconciature sfarzose; schiavi in rozza tunica, e fra questi, alcuni colla fronte segnata dallo stigma dei fuggitivarii; qualche liberto in pomposa lacerna dissimula, sotto dei nei artificiali, gli sfregi del volto; eleganti cavalieri ed aurighi d'ogni fazione. Di fianco all'ingresso un mercante d'idoli ed un venditore di tavole votive spacciano la loro merce. Un tempiere sta presso al vassoio delle offerte.

D'un tratto la cortina si spalanca e si scopre agli occhi dei fedeli il sacrario. Tutti coloro che stanno nella cella s'inginocchiano. Simon Mago, in manto e tiara d'argento col petto scintillante di gemme, sta sulla gradinata dell'altare e fra le mani, coperte d'un drappo prezioso, tiene alto levato un calice d'oro. Un raggio fulgidissimo scende dalla volta del tempio e illumina tutta la persona del Taumaturgo. Due sacerdoti situati più basso sostengono, sotto il calice, un bacino d'oro. Altri otto sacerdoti sono scaglionati sugli altri gradi fra le statue policrome, e la loro immobilità è tale che si confondono con queste. Quattro flabelliferi ergono dietro il Mago i loro flabelli di piume bianche; due hieroduli reggono, colle braccia alzate al disopra del capo, due urne d'oro da cui vaporano degli aromati fumanti. Un altro innalza un vaso di bronzo su cui arde una fiammella turchina, un altro tiene aperto davanti al petto un dittico dove sono tracciati dei simboli. Ai piedi della gradinata stanno schierati alcuni giovanetti con delle grandi arpe e delle cetre e dei sistri. Presso i pilastri dell'arco sono appostati due tempieri, e nel centro dell'arcata Gobrias (giovane discepolo di Simon Mago) e Dositèo, vecchio sacerdote, stanno rivolti verso la folla.
Nella cella i devoti guardano, in atto d'ansiosa aspettazione, il calice raggiante. D'un tratto un largo fiotto di sangue trabocca spumeggiando dal calice e cade nel bacino sottoposto. Nello stesso momento sorge dal bracere ardente una densa colonna di fumo che invade il sacrario e nasconde Simon Mago alla vista dei credenti. La cortina si chiude; Dositèo e Gobrias sono rimasti al di là della cortina, sul limitare della cella.

ATTO SECONDO

Gobrias

(con lieto ardore, ma senza caricatura)

_lar! Sul let_ti_ster_nio pro_fu_so è il vin! Tempra il fa_ler_nio succo la

_gli En_ti pri_mi e immen_so mar de_

Gobrias

ne _ ve;

voglio al di_vi _ no sci_fo li_

Tenori I.

Noi t'a _ do _

Tenori II.

Noi t'a _ do _

I Fedeli

Bassi I.

_gli Es _ se_ri,

noi t'a _ do _

Bassi II.

_gli Es _ se_ri,

noi t'a _ do _

Gobrias (corre al desco ove coglie una tazza già piena e poi ritorna nel gruppo; Dositèo lo segue e lo imita)

_bar.

_riam!

_riam!

_riam! Per te preghiam, per

_riam! Per te preghiam, per

Bassi I.

te che ge _ mi e san _ gui _ ni nel _

Bassi II.

te che ge _ mi e san _ gui _ ni nel _

y

dono degli *ex-voto* alle ginocchia dell'idolo, altri depongono delle monete nel piatto delle offerte che sarà portato in giro dal tempiere. Un vecchio, col capo coperto da un *palliolum* che gli ripara anche le spalle e sorretto da uno schiavo, sale sul basamento dell'idolo.)

Gobrias

Es_si ap_pen_do_no vo_ti_ve ta_vo_le.

tuo Mister, nel ca_li_ce cru_

Gobrias

S'ode un tin_tin_no d'ar_gen_to e d'o_ro.

_en_to che in tua man ferven_do im_

Simon Mago

Fa_vo_le at_ten_do_no, vendiam lor

Tenori I. e II.

pp

In te cre_

Bassi I. e II.

pp

por po_ra. In te cre_

Simon Mago

(Gobrias beve presso il lettisternio)

stol_ti! Prega_te! In _ tan _ to l'au _ gu_re ri _ de die _ tro l'al_

Poco più mosso *ma sempre pesante* ♩=104

string. poco a poco

Gobrias (avanzandosi pesante)

Ah! no, sen _ za ri _ so non pos _ son gli àu_guri guar_

Simon Mago

_tar.

6 Poco più mosso *ma sempre pesante* ♩=104

string. poco a poco

Gobrias

(Tracanna, poi corre al desco e
s'incorona comicamente brillo,
con una ghirlanda di fiori gialli.)

_dar _ si in vi _ so.

Dositèo

(un po' barcollando e più
pesante di Gobrias)

Ah, no, sen _ za

pesante

156

119599

(Un gruppo di sacerdoti circonda Gobrias, tentando strappargli la tazza di mano; egli colle braccia alte la difende –Cerinto, Simon Mago e Dositèo non fanno parte del gruppo che assedia Gobrias.)

(Il salmo nella cella è cessato; ritorna
la calma anche nel sacrario.)

Gobrias *a tempo* ♩=63 (sul limitare della cella rivolto alla folla)

I_ _te, cre _ den _ ti,   e   nel var_ car la ce_ro.

Simon Mago (a Cerinto, indicando il manto e la tiara)

Ri_poni quella spoglia.

Gobrias (un po' caricando la voce sulla nota bassa)

so _ glia, in _ chi _ na tevi al Ge _ nio del _ l'Im_pe _ _ro.

(I fedeli si alzano; s'inchinano davanti la statua di Nerone, alcuni vanno a baciare i piedi dell'idolo, altri abbassano il capo davanti la colonna del serpente di bronzo e tutti escono dalla porta a sinistra. Intan_ to Dositèo eseguisce gli ordini di Simon Mago: spegne i lumi, accende un cero che sparge una luce ver_ dastra e lo colloca ai piedi della gradinata.)

Simon Mago (a Dositèo) *a mezza voce*

Do_si_tèo, pre_ce_di_mi nel_ l'antro ond'io ri_em_pio d'o_ra_co_li la

legatissimo

Simon Mago

cel_la So_vra l'altar,i_ri_de_scen_te stel_la,scintilli il prisma.

p legato

(ai citaredi e ai sistrati)

Simon Mago
sempre largamente

(Gobrias, rimasto immobile sul plinto, corre a spiare dalla porta del fondo.)

E voi dal_l'i_po_geo, su_sci_ta_te gli ar_

sempre largamente

9

Gobrias

All.º moderato (*il doppio più presto*) ♩ = 126
(accorrendo nel sacrario)

Giun _ _ ge Ne_

(Dositèo e tutti costoro escono dalla porta bassa dell'*antrum*.)

Simon Mago

_ca_ni e _chi del tem _ _pio.

All.º moderato (*il doppio più presto*) ♩ = 126

p leggero

Andante ♩=58 (Simon Mago sta origliando un istante (proseguendo con qualche
Simon Mago il suono della Buccina.) concitazione)

.scon di. Se il tuon del bron_zo

Andante ♩=58

Buccina lontana che suona il *Classicum*
fp

Simon Mago (Gobrias sarà entrato nel nascondiglio fuori
della visuale dello spettatore.)

romba, scuo_ _ti quel ful_cro e tut_to si spro_fon_di l'altar

(Quì la porta laterale della cella si spalanca e discopre un'ala

(Simon Mago scende rapidamente i gradi dell'altare ed esce

Simon Mago

nel_ _la sua tom_ba.

sontuosa ove si scorgono Nerone, Tigellino, Terpnos e dietro ad essi alcuni Pretoriani e una decu_
ria di Guardie Germane. Nerone e Terpnos entrano nella cella la cui porta subito si richiude sul_
l'ultima nota della tromba.)

dalla porta dell'*antrum*. Ritorna subito dopo tenendo Asteria per mano.)

Simon Mago (Entra Asteria)

sf smorzando subito

(Nerone, con un gesto appena
accennato, congeda Terpnos
che esce tosto dalla porta
d'onde è entrato.)

Asteria

Ei m'ha no _ mata!

Nerone

_ dul _ ga; ar _ ri _ da A _ ste _ ria in ciel.

(Nerone rimane ginocchioni ad aspettare a capo chino, toccando
amuleti appesi al petto e applicandoli alla fronte.)

Simon Mago (sottovoce)

E _ gli la dea ti cre _ de che sul _ la not _ te e sui ter _

p misterioso

Simon Mago

_ ro _ ri ha re _ gno. Ba _ _ da a te! Se ti

col canto

88

Simon Mago

schia _ _ vo sa _ rà chi ha schia _ vo il

pp legatissimo

(Simon Mago scende. Asteria è rimasta sul
l'altare, soggiogata dalle parole di Simon
Mago, appoggiata all'ara, immobile.)

Simon Mago

mon _ _ _ _ do.

m.s.

legato

(schiude un poco la cortina e passa nella cella. Non rimane al_
tra luce che quella del cero e del braciere ardente; anche la
fiamma dell'ara è spenta.)

Simon Mago

(a Nerone, dopo socchiusa la cortina)

Piuttosto lento ♩=63

16 T'è conces _ so var_

Piuttosto lento ♩=63

poco rall.

Nerone

(s'incammina, arriva sino al limite del sacrario e fa per en_
trare, ma Simon Mago lo arresta.)

piede sinistro p. destro s. d. s.

Simon Mago

affrettatamente

_car l'occul _ ta so _ glia.   Er_ri.

p legatissimo   *mf*   *sf*

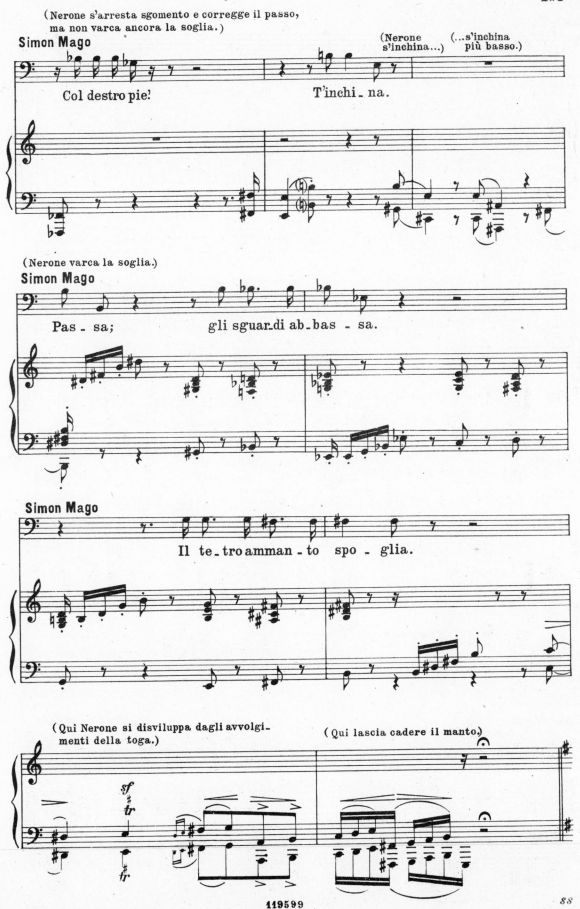

(conduce Nerone, tenendolo per mano, davanti allo specchio magico. La fio-
ca luce del sacrario non arriva a illuminare Asteria.)

Simon Mago
ten_ti, in quel ba_glior di por_pora e d'e_let_tro. E se u_no

Simon Mago
spet_tro ap_par che ti spa_ven_ti, bat_ti quel

Simon Mago
bron_zo e spari_rà lo spet_tro.

(indicando lo scudo appe_so accanto allo specchio e la mazza di ferro)

(abbandona Nerone, solo, davanti allo specchio ma_gico ed esce dalla porta dell'*antrum*)

(Un raggio iridescente scende dalla volta del Tempio e illumina Asteria la cui immagine si riflette nello specchio. Nerone atterrito impugna il maglio di ferro e sta già per colpire lo scudo, ma subito s'arresta.)

Spa_ri_____sci! No...

Nerone (posa la mazza) Come prima

No... Sei del mi_ra_glio l'il_lu_si_on___

Nerone (avvicina lo smeraldo all'occhio)

Ma ben ti raf_fi_gu_ro.

Nerone (s'avvicina, con intensa curiosità, allo spec_chio e lo tocca)

Strano mister! par spec_chia_to sembiante.

Lo stesso movimento ♩· = ♩·
(Nerone ripiomba col volto sulla gradinata dell'altare)
string.

Molto sostenuto

Asteria (sempre immota, fissandolo, con un
accento languido di sogno)

Calmo

Sor _ gi e spe _ ra.

Nerone (sollevando la testa e gli occhi
poco a poco insino ad Asteria)

Oh! co _ me viene a er _ rar pres _ so il mio

21 **Molto sostenuto**

Calmo

Nerone

co _ re la vo _ ce tua! Al par d'un bron _ zo e _

Nerone

_ chè _ o ri _ spon _ de il co _ re.___

(Sorge lentamente e, guardando Asteria, si toglie dal
collo il monile di smeraldi; mentr'egli compie que _
st'atto, Asteria con eguale lentezza e cogli occhi fis_
si su Nerone si toglie dal collo le serpi avvolte e le
lascia cadere nella *cista mystica* che le sta daccanto.)

scorrevole *legatissimo* *movendo*

sempre legato e piano

Nerone

Andante giusto ♩ = 76

rall.

E tu dal sen di sno di la vi ven te lo

Andante giusto ♩ = 76

scorrevole

rall.

Nerone

(ergendosi, estrae la collana di smeraldi dalla cintola)

a tempo

ri ca i o sur go e

a tempo

p

Nerone

(Getta la collana di smeraldi sul tripode dell'altare, alla portata della mano d'Asteria.)

get to l'of ferta a' pie di tuoi.

22

gliss.

lunga

(s'è gettato sui gradini dell'altare sempre cogli occhi fissi in Asteria e colle braccia tese verso di lei. Essa rimane immobile presso all'ara colla testa arrovesciata; come irrigidita dall'estasi.)

(Scoppia un fragore spaventoso come di bronzo terribilmente percosso. Nerone si ritrae atterrito.-

S'ode dalla bocca spalancata del mostro che sporge dalla parete dell'*antrum* la voce dell'oracolo. Nello stesso tempo s'è spento il raggio che illuminava Asteria. Il sacrario ripiomba nell'oscurità.)

L'oracolo (voce interna)

Ne_ ro_ _ ne_O_ re_ _ _

(Nerone ricade come fulminato nella gradinata. Asteria, lentamente, scende qualche grado, s'av_vicina a Nerone, chinandosi poco a poco, gli si rannicchia d'accosto, mezzo prostrata, mezzo sedu_ta; i due corpi si toccano. I loro volti riverberano, fra le tenebre, la livida luce del cero e il riflesso della bragia.)

L'oracolo

_ste!

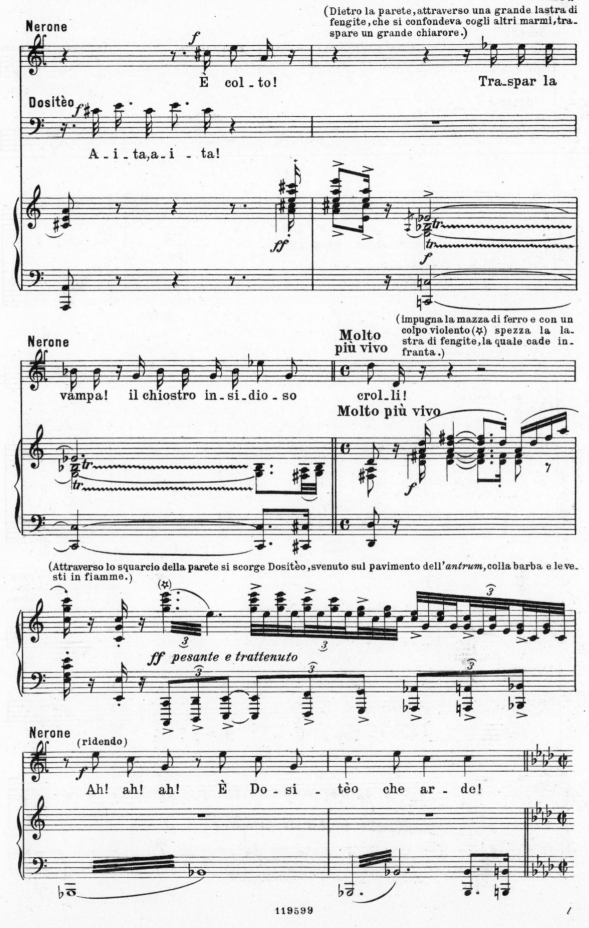

canto allo specchio.)

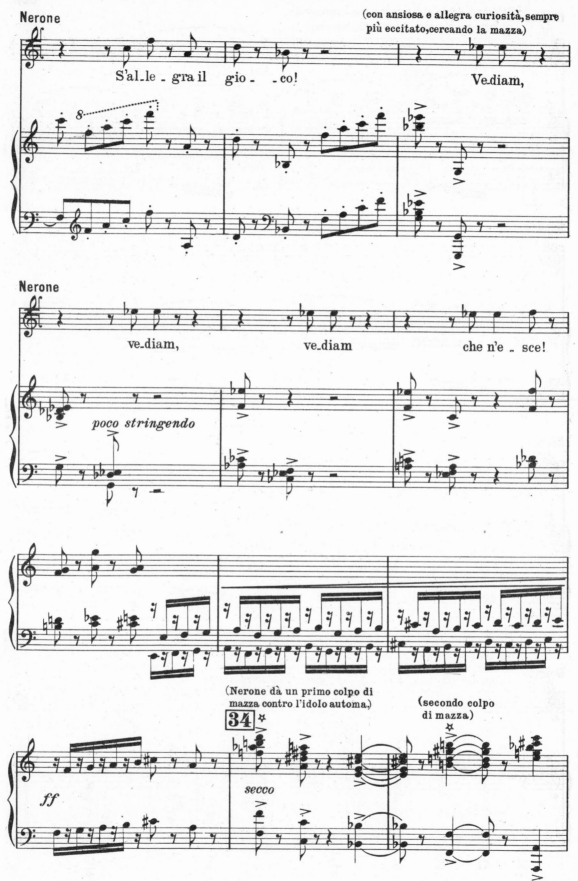

204

Nerone

E bri-o-so compar, tu assai mi pia-ci;

t'a-scrivo al mio Te-

Allegro come prima ♩= 88

Nerone

-a - tro.

Voci interne dall'antrum

Sop. e Cont.

Ah!_____ Ah!_____

Ten.

Ah!_____ Ah!_____

Bassi I.

Al fiu ___ ___ me! Al fiu ___ ___ me!

Bassi II.

Al fiu ___ ___ me! Al fiu ___ ___ me!

36 **Allegro come prima** ♩= 88

pp

(Rientrano tumultuosamente i pretoriani, Terpnos, le Guardie Germane col loro Decurione, condu_
cendo Simon Mago con le braccia legate.)

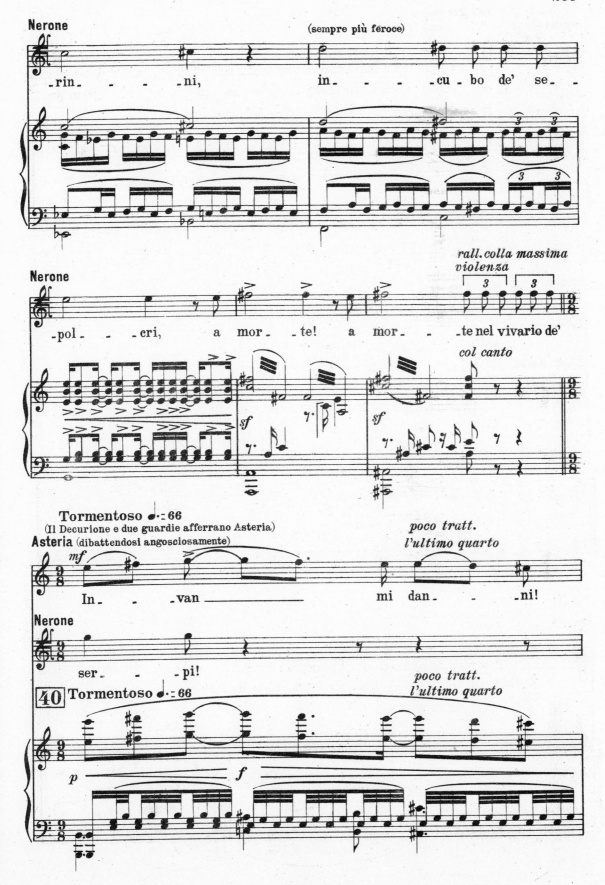

Asteria

ah,___ non___ mo___ri_rò! Ma

Asteria *sostenuto*

deh!_ per gra___ziauc_ci___di_mi! Io

Asteria

non son che u_na po_ve_ra er_ra_bon_da, spo_sa di ser_pi;

affannosamente indugiando

(Asteria è trascinata dai Pretoriani e dalle guardie Germane fuori dal Tempio. Il coro la insegue minaccioso)

(fuori di scena)

SI CHIUDE IL VELARIO

Fine dell'Atto Secondo

ATTO TERZO
L'ORTO

L'ORTO

L'orto dove s'adunano i Cristiani, nel suburbio di Roma, è illuminato dagli ultimi riflessi del tramonto. A sinistra v'è un casolare con un vasto pergolato sostenuto da quattro colonne. A destra v'è una fonte rustica sul cui margine di pietra è deposta una ciotola e un'idria. Poco discosto v'è un sedile di rozzo legno. Dietro alla fonte, e d'intorno, le zolle fiorite formano una leggera prominenza. Nel fondo s'estende un uliveto. Sotto la pergola vi sono due tavole; una di queste ha la forma d'un sigma lunare e porta i resti d'una cena frugale, l'altra è di quelle che servono ai coronari per intessere ghirlande ed è piena di fiori e di fronde. Intorno a questa tavola stanno sedute parecchie donne ed alcuni fanciulli. Dall'altro lato alcuni Cristiani circondano Fanuèl il quale è appoggiato al margine del fonte. Un'aura di soave pace è diffusa su questa umile gente e sull'orto. Un'immensa attesa riempe le anime.

ATTO TERZO

©ISARI

Andante tranquillo ♩ = 63

p dolce

SI APRE IL VELARIO
(Un'immensa attesa riempie le anime - Si sente la po_
tente incubazione dell'ignoto imminente.)

smorz. subito   *pp*

Fanuèl (in atto di chi continua una narrazione)
p

E vedendo le tur_be   ad u_dir pron_te   sa_lì sul

lunga   *p*

Fanuèl   *indugiando*

mon_te,   le bene_dis_se   e dis_se:

pp   *m.s.*   *rall.*
pp
Red.   ✲

Be_a_ti!___

_a_ti quei che pian_go_no.

Be_a_ti quei che pian_go_no.

Be_a___ti!___

Fanuèl

Be_a_ti que_i che vi_vo_no in de_sì_o, per_

Fanuèl

_chè liu_drà il Si_gno_re.

220

(Rubria esce dal casolare con una lampa in mano; è seguita da Perside e da fanciulle che portano in grembo dei fiori sciolti e li depongono sulla tavola insieme agli altri. Tutte le donne si radunano intorno ai fiori. Alcuni uomini vanno accanto alle donne, altri entrano nel casolare, altri si disperdono nell'orto. Fanuèl, appoggiato ad una colonna della vite, guarda Rubria. Incominciano a spargersi le prime ombre della notte.)

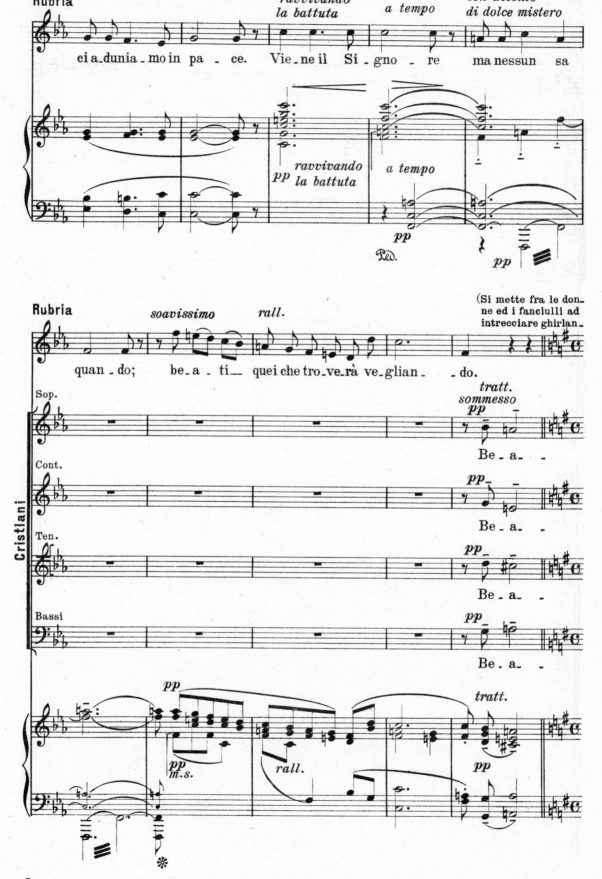

de ed a cantare con essi una canzone.)

Rubria

a tempo, tranquillo ♩ = 63

Lie _ to è chi muo _ re nel _ Dio ve _ ra _

Perside

Lie _ to è chi muor nel Dio ve _ ra _

11 a tempo, tranquillo ♩ = 63

Rubria

_ce. A _ mo _ re! Fe _ de! A _

Perside

_ce. A _ mo _ re! Fe _ de! A _

Sop.

A _ mo _ re! Fe _ de!

Cont.

A _ mo _ re! Fe _ de!

Ten.

A _ mo _ re! Fe _ de!

Bassi

A _ mo _ re! Fe _ de!

(fra gli alberi dell'uliveto si scorge una figura nera che s'avvicina lentamente. È Asteria.)

Rubria
a tempo, sostenuto ♩ = 56

pe _ _ na.

a tempo, sostenuto ♩ = 56

p

lamentoso

p

Rubria

Ah! co _ _ _ me tre _ mi!

dim:

(vede il volto di Rubria rischia_
rato dalla lampa)

Asteria *tranquillo*

p

Dol _ ce Nazza_re_na! Sì... tu se' quella che il mio duol le_

14

p tranquillo

Asteria

rall.

p

_ni _ vi sull'Ap_pia, o_ran_do un dì, nel_la qui_e_te del_

rall.

Asteria

_l'al_ba...   T'ho cer_ca_ta   tan_to!   *affannosamente*

Ho

pp   *col canto*   *pp*   *appena sensibile*

a tempo

Asteria   (Rubria fa cenno a Fanuèl il quale s'affretta a riempiere la
ciotola coll'acqua del fonte e gliela porge.)

se _ te...

legatissimo

sf   *a tempo*

P dolcissimo

sf

Asteria (sorridendo a Rubria ed estraen_
do un fiore dal seno)

Que_st'è un tuo fio _ re.

Rubria

Be _ vi.

ten.

sf   *pp eco*

sf

Asteria

vien Si_mon Ma_ _ _ go. Di_strug_gi o_gni al _ tra

Rubria

Spa_ven_ _to!

Asteria

spe_me che non sia la fu_ _ ga.

Asteria

Tre_ _ men_ _do e_gli è! Be_ _ ne u_

Asteria

_dii la mi_nac_ _cia: Ei vuol sangue Cri_ _

Asteria

(scompare fra gli alberi del fondo)

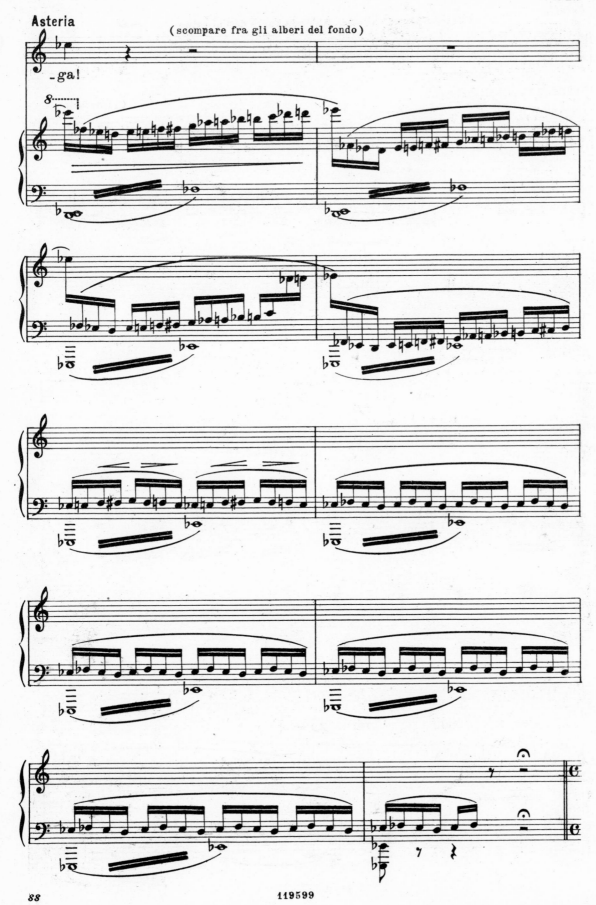

250

Rubria Mosso ♩ = 100

là... nel te_ne_ bror, vuol la tua mor _ te...

Mosso ♩ = 100

Fanuèl Meno *p*

Tut _ to i_gno_ _ ro di te, tut _ to, an _ che il

23 Meno

Fanuèl

no_me. Quan_do t'ac_col_si nel_la fè no _ vel _ la, non te lo

Fanuèl

chiesi, ti chiamai: So _ rel_la. M'odi; o _ gni

sfumando

pp

(Si vedono comparire dall'uliveto due decurie di Guardie Germane col loro Decurione ed alcuni Pretoriani accompagnati da portatori di fiaccole.)

119599

(interponendosi, con gesto pacato, libera Simon Mago
dall'assalto; poi dice ai Cristiani :)

Fanuèl

Dio_____ di far pos-sen-te un em_pio per in-

deciso

Fanuèl

(Simon Mago s'allontana. Fanuèl ripiglia più dolcemente)

_fran_ger_lo poi.

Tempo del principio dell'Atto

37

274

278

Fine dell'Atto Terzo

ATTO QVARTO
IL CIRCO MASSIMO

L'OPPIDUM

Si vede l'interno dell'*Oppidum* fra i suoi grand'archi centrali, quello di destra
che sbocca nell'arena e quello della *porta pompae* a sinistra che s'apre verso
il Foro Boario.

In questo grande atrio ha sua foce un criptoportico che si prolunga nel fondo
seguendo la lieve curva della fronte del circo; è chiuso, alla diritta di chi guarda,
dal muro delle carceri, e la sua parete a mano manca è popolata di botteghe
e di taverne. Nella stessa parete, leggermente concava, si scorgono i primi gradini d'una scala interna che ascende alle precinzioni più alte.

Presso all'arco che sbocca nel Circo si vede internarsi nel muro, di prospetto,
il primo ramo d'una scala che sale al podio.

Un'ampia nicchia, fiancheggiante la *porta pompae*, accoglie la famosa scultura
Rodiana che rappresenta Zeto ed Anfione in atto d'avvincere Dirce alle corna
d'un toro inferocito.

La viva luce diurna entra dall'arco esterno dell'*Oppidum*.

Vortici di folla irrompono da ogni lato. La maggior calca ferve intorno ad una
quadriga; quivi le fazioni del circo si affrontano levando grida di trionfo e d'ira,
agitando toghe e cappelli e pezzuole verdi ed azzurre. Parecchi brandiscono degli
stili, altri minacciano colle pugna gli avversarii. L'Auriga, che ritorna vittorioso
dalla gara, porta i colori di parte *prasina*, ha le redini attorte dietro la schiena
e i cavalli rivolti nella direzione del criptoportico, impugna un coltello per difendersi dagli assalitori.

PARTE
PRIMA
L'OPPIDUM

CISARI

All.º vivacissimo
♩=132

(in 1)

pp

(ritmo di 3 battute)

pp

1

(Buccine)

accanito

SI APRE IL VELARIO

Si vede l'interno dell'*Oppidum* fra i suoi grand'archi centrali, quello di destra che sbocca nell'arena e quello della *Porta pompae,* a sinistra, che s'apre verso il Foro Boario.

In questo grande atrio ha sua foce un criptoportico che si prolunga nel fondo seguendo la lieve curva della fronte del circo; è chiuso, alla diritta di chi guarda, dal muro delle *carceri* e la sua parete a mano manca è popolata di botteghe e di taverne. Nella stessa parete, leggermente concava, si scorgono i primi gradini d'una scala interna che ascende alle precinzioni più alte.

Presso all'arco che sbocca nel Circo si vede internarsi nel muro, di prospetto, il primo ramo d'una scala che sale al podio.

La viva luce diurna entra dall'arco esterno nell'*Oppidum.*

Vortici di folla irrompono da ogni lato. La maggior calca ferve intorno ad una quadriga; quivi le fazioni del Circo si affrontano levando grida di trionfo e d'ira, agitando toghe e cappelli e pezzuole verdi ed azzurre. Parecchi brandiscono degli stili, altri minacciano colle pugna gli avversarî. L'Auriga che ritorna vittorioso dalla gara, porta i colori di parte *prasina,* ha le redini attorte dietro la schiena e i cavalli rivolti nella direzione del criptoportico, impugna un coltello per difendersi dagli assalitori.

12 Poco trattenuto ♩=108

tutta forza

accanito

290

119599

y

Tenori I. e II.

_to_ _ ria! Vit _ to _ ria! Vit _ to _ _ ria! Vit _ to _ ria! Vit _ to _ ria! A

Barit. e Bassi

f

Fu _

_te_____ la glo _ _

_ra _ sti con per _ fi _ da fro _ de, fu _ ra _ sti con

15 *impetuoso ed aumentando l'impeto sino alla fine*

mf
pesante

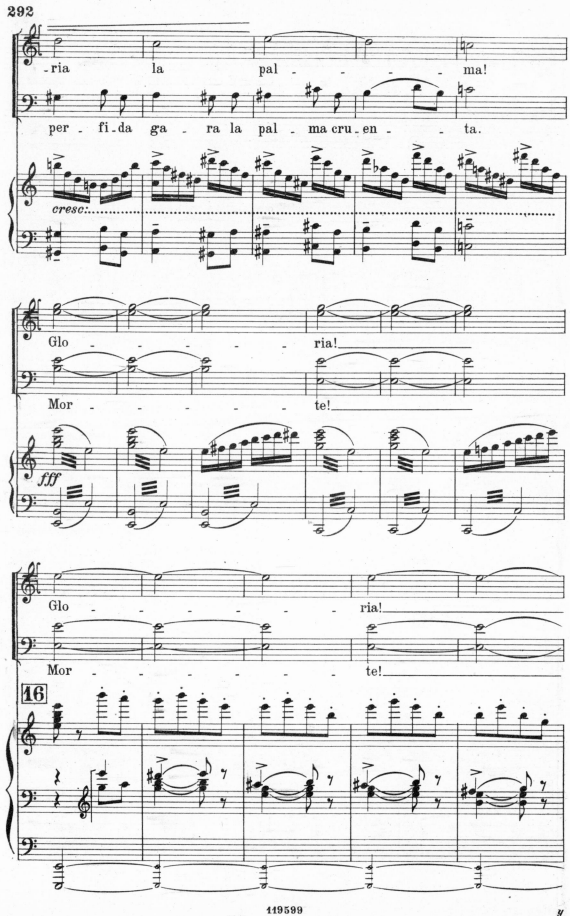

(perdendosi nella profondità dell'*Oppidum*)

Ah!

Ah!

dim.

(La folla vociferando segue la qua_
driga e s'interna nel criptoportico.) Simon Mago, seguito a distanza dal

sempre dim.

suo Centurione, incontra Gobrias che viene dall'Arena.-

rall:...

y

Recitativo
Gobrias (VUOTA)

(a Simon Mago, scherzosamente,
coll'inflessione particolare di
chi parla ridendo)

Molto meno mosso ♩=92

mf I Verdi han vinto, è salva Ro_ma.

17 **Recitativo**

Molto meno mosso ♩=92

(VUOTA)

p

Gobrias

(sottovoce, dopo essersi appressato
a Simon Mago e rapidamente)

p

Simon Mago

(sottovoce a Gobrias)

p

Siam pron_ti. La fu_ne in_cen_dia_ria scoppie_

Ebben?

Gobrias

_rà ver_so il Ce_lio.

Simon Mago

(sottovoce)

E

marcato

Dal fondo del portico sopraggiungono alcuni gladiatori armati per combattere e disposti in ordi_ne di parata; divisi per coppie, preceduti da quattro Eneatori con trombe, da un porta-insegne, dal lanista e da un servo, entrano nel circo -

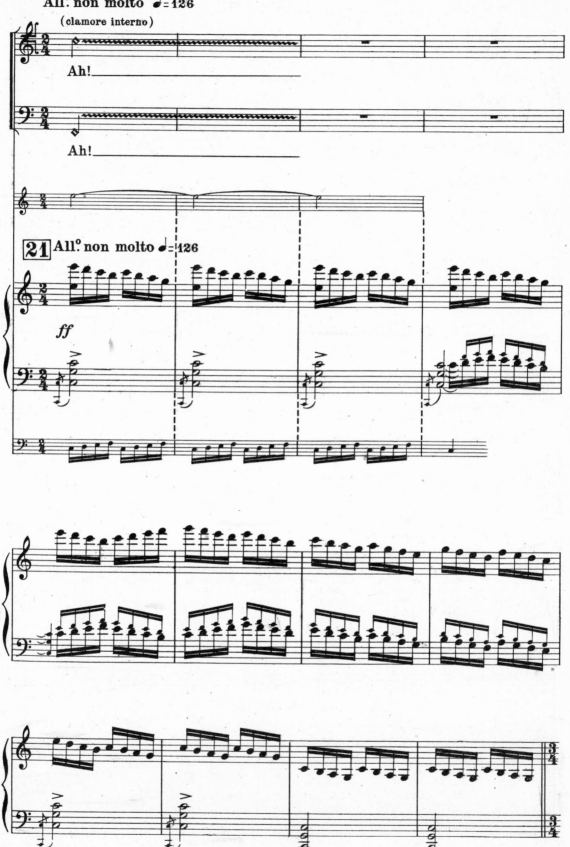

Gobrias

cro _ ce sbra _ na _ to da _ gli or _ si."

Simon Mago

È Fa _ nuel, con _ ti _ nua.

23

sf

f secco

sf

Gobrias

(terminando la lettura)

"Il vo _ lo

ff m.s.

Gobrias *rit.*   *a tempo*   (con un gesto d'addio canzo _
natorio a Simon Mago)

d'I _ ca _ ro."   Buon_____ ti

*f l'attacco
col canto*   *sf*
a tempo

sf

Gobrias (se ne va correndo e scompare nella curva del criptoportico)

sia!

L29ui (squillo dalla Cavea)

Presto ♩=♩ (*mov.^to doppio del precedente*)
(giungono grida dal Circo)

(un'ondata di folla entra correndo
dall'esterno nell'*Oppidum*)

E _ u _ o _ è!

_ è, u _ o _ è, u _ o _ è, u _ o è, u _ o è!

Eu _ ge! Eu _ ge! Mac _ te! Mac _ te! Mac _ te!

perdendosi nella distanza

altri Litui all'ingresso
dell'*Oppidum*

pp

cresc.:

y

Entra dalla porta d'ingresso una lettiga
pomposissima portata da quattro lettigarï -

26 **Lo stesso mov.^{to}** ♩=116

(Una *puella Gaditana* esce dalla taverna con alcuni suoi corteggiatori e si mette a danzare in mez_
zo al crocchio, sotto il criptoportico, una sua danzetta mite e lieve, al suono di un corno, del timpa_
no e di crotali, mentre un giovanetto colla doppia tibia alle labbra, l'accompagna.)

28 **Allegro danzante** (*lo stesso movimento precedente*)

spigliato

raddolcendo

p

(la danza subitamente illanguidisce)

languendo *un poco rall.*

Nerone

(Nerone e Tigellino scendono la scala del podio
e s'arrestano presso all'arco del Circo.)

p

Che vuoi

29 (La danza ripiglia spigliata
il movimento originario.)

ff

ff

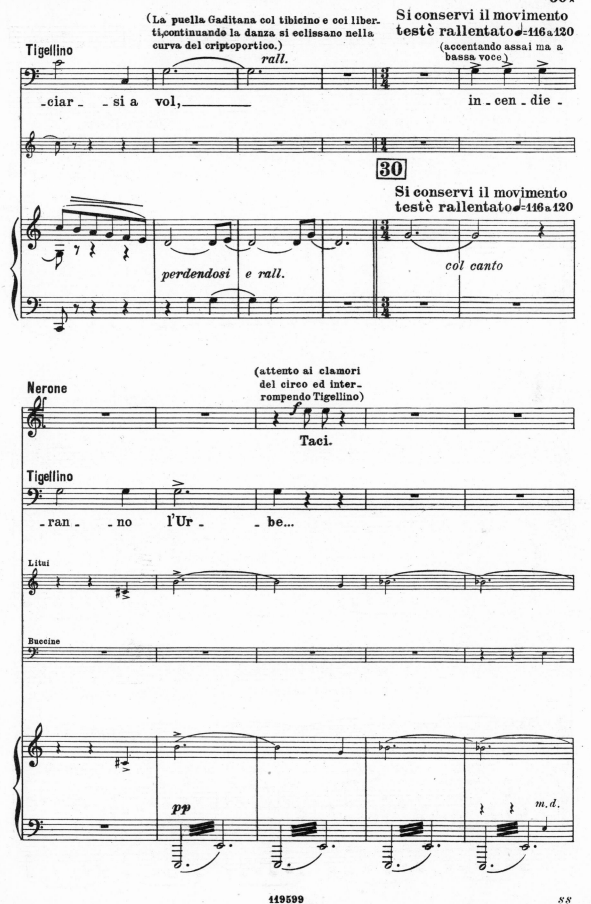

308

320

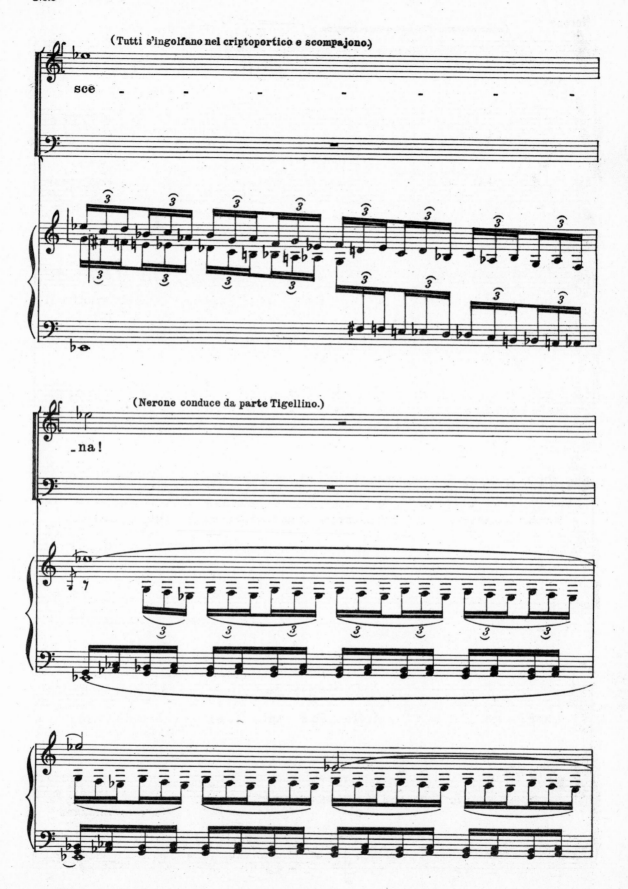

(Tutti s'ingolfano nel criptoportico e scompajono.)

sce -

(Nerone conduce da parte Tigellino.)

_na!

Nerone

-ne nessun sa-pea quant'o-sar può chi re - - -

Dal fondo del portico s'avvicina lentamente un cortèo strano ed atroce. Le donne Cristiane, precedute da Fanuèl, vestite come la Dirce del marmo Rodiano, inghirlandate di verbene, colle mani legate e fra le mani un tirso od altri emblemi bacchici, camminano fra due file di truci *bestiari* che le percuotuono a colpi di flagelli se quelle s'arrestano. Seguono alcuni Sagittarî in completo assetto di caccia con archi, faretre e saette. Una frotta di pantomimi colla *maschera muta* sul viso chiude il cortèo.

Simon Mago ed i suoi sacerdoti s'accaniscono contro Fanuèl e lo insultano mentre egli passa.

Frattanto la più sordida plebe del Circo s'è riversata nell'*Oppidum*.

Nerone, presso la *Porta pompae*, attende cupidamente il passaggio delle vittime.

328

330

119599

(Sulla scala del podio è comparsa una Vestale (Rubria).Ha il
capo coperto dall'infula e il viso nascosto da un velo; ogni suo
vestimento è bianco.

Un littore co'fasci abbassati la precede, un Flàm'ne la segue.
Giunta all'ultimo gradino della discesa s'arresta, tende il braccio e la mano verso Fanuèl. La folla, sorpresa, indietreggia.)

Nerone

sa _ _ cra il flà _ mi _ ne le

Nerone

(Il flàmine strappa dal capo di Rubria l'infula e la vitta)

svel _ _ ga.

Simoniaci
Plebe

Ten.

Em _ _ _ _ pia!

Barit.

Em _ _ _ _ pia!

Bassi

Em _ _ _ _ pia!

accel.

Nerone

rall. con violenza

Ca _ dàn le ve _ _ sti a bra _ ni. poco rit.

Fanuel

Io la di _

mf   rall.

col canto

(I bestiarî si avventano su Rubria svenuta, le lacerano le vesti. Fanuèl è circondato da sagit _
tarî. La plebe s'accalca intorno, mentre due bestiarî sollevano Rubria sulle teste della folla
ruggente e la trasportano nell'arena dove è spinto anche Fanuèl insieme alle Dirci.)

p

p

p

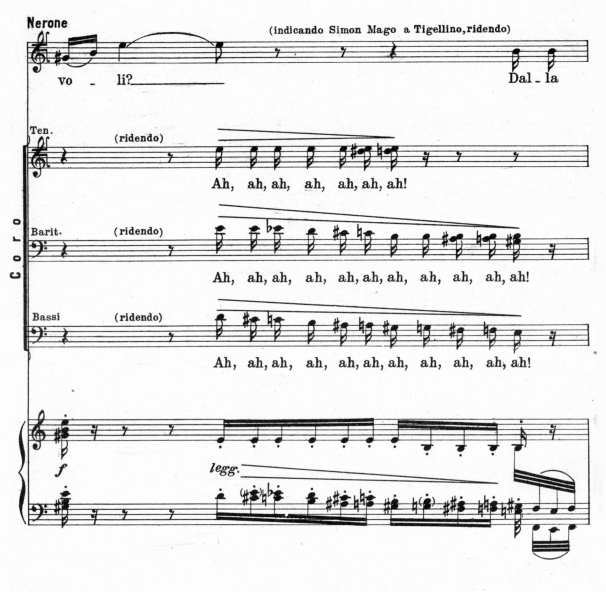

Nerone

Più lento

Non vo _ li?___ A _ scen _ di al _

Nerone

_ l'è _ te _ re,___ agli a _ stri, al so _ le!

Nerone

(La guardia Germana, afferrato Simon Mago, lo trascina rapidamente insino alla sca_
la di legname che sta a sinistra del criptoportico)

a tempo   *cresc.*   *a tempo*

I _ ca _ ro vo _ la!___ A _ scen _ di al _ l'è _ te _ re!

Gobrias (ridendo a Simon Mago, e beffandolo)

I _ ca _ ro vo _ la!___

a tempo   *a tempo*

(La guardia Germana colle armi in pugno caccia Si_
mon Mago pungendolo e minacciandolo sui gradini
della torre dell'*Oppidum*.)

119599

p

358

Ah, ah, ah, ah, ah, ah!

Ah, ah, ah, ah, ah, ah!

Ah, ah, ah, ah, ah, ah, ah, ah, ah!

Ah, ah, ah, ah, ah, ah, ah, ah, ah!

Ah, ah, ah, ah, ah, ah, ah, ah, ah!

p

p

p

Ah!

Ah!

p

Gobrias

cen - dio   è   nel - le for -   - ni - ci.

(Ad un tratto s'odono degli urli di spavento che
vengono dal fondo del criptoportico e dalle parti più alte dell'edificio dove s'incomincia a scor-
gere qualche cirro di fumo.)

(Le grida di terrore aumentano e s'avvicinano.)

(Attraverso le nubi dell'incendio si scorge la gente che fugge, che s'urta, che cade. Una fiumana di popolo irruente invade il criptoportico spinta verso lo sbocco della *porta pompae*.)

71 Poco meno (*in 4*) ♩=138
L'*Oppidum* non è che una voragine di fumo.

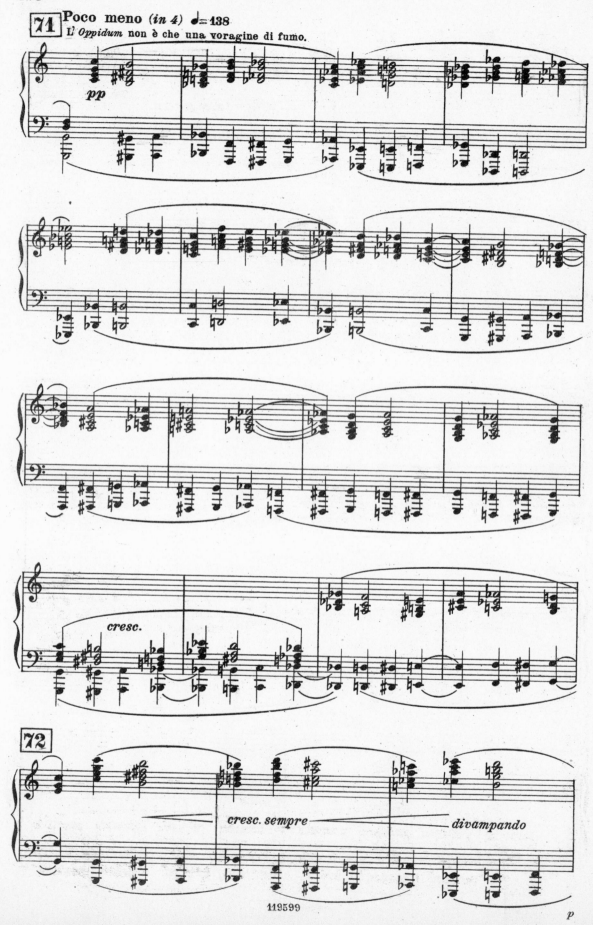

pp

cresc.

72

cresc. sempre — *divampando*

p

LO SPOLIARIUM

È un sotterraneo del Circo dove si depongono i morti. La luce riflessa d'una torcia che s'avvicina dirada a poco a poco le tenebre, rischiarando a destra il vano d'una porta e la rampa d'una scala erta ed angusta.

Un rombo lugùbre giunge dall'alto e ad intervalli uno scroscio come di cataste o di mura che ruinino.

Asteria, con una fiaccola in mano, discende la scala; giunta alla soglia del sotterraneo s'arresta per illuminare chi la segue.

PARTE
SECONDA
LO SPOLIARIUM

GISARI

Andante
♩= 60

ppp

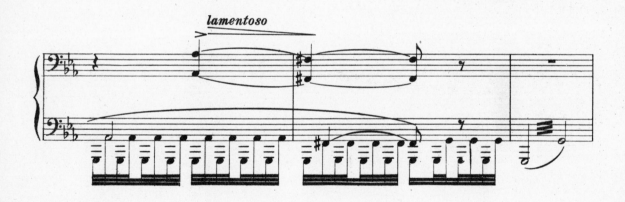

lamentoso

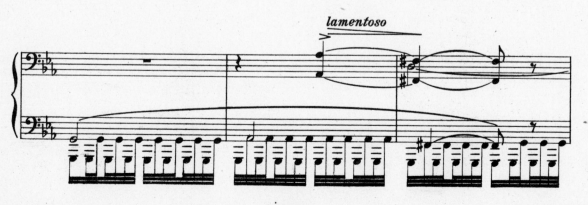

lamentoso

y

lamentoso

lamentoso

Asteria

(Fanuèl la raggiunge. Entrano insieme.)

Scen _ _ _ di.

lamentoso

Asteria

Cer _ chiam fra i morti.

marcato

Fanuèl

mf

Or_ror di tom _ _ _ ba e _ ma _ na lo spo_

Fanuèl

_lia _ rio. S'o_de an_cor da que_st'an_tro fu _ ne_

Fanuèl

_ra _ rio la gran vam _ pa che rom _ ba.

(Incomincia ad aggirarsi lentamente guardando a terra lungo la pa‒
rete centrale. Al lume della torcia che tiene in mano s'intravvede,là,do‒
ve passa,la struttura irregolare del sotterraneo. Fanuèl va frugando a
sua volta nell'ombra lungo la parete di destra. Si parlano a distanza.)

382

Fanuèl

Sal _ va _ la!   È sve _ nu _ ta.

Fanuèl

co - re... la fe - rì lo stra - le

sempre più p

Fanuèl

d'un sa - git - ta - rio...

La metà del movimento precedente ♩=𝅗𝅥

La metà del movimento

82 precedente ♩=𝅗𝅥

Asteria

(guardando la ferita di Rubria
attraverso lo squarcio delle vesti.)

Spa -

(aspettando ansiosamente)
sottovoce

Fanuèl

Eb - ben?

seguendo l'azione

pp

m. d.

(Asteria ha visto qualche riflesso dell'incendio sulla scala d'onde scese e la risale correndo e scompare mentre Rubria apre gli occhi.)

Andante
(con immensa dolcezza)

Fanuèl

U _ na ma _ no pi _ a ti ri _ co _ per _ se col _ la

pp soavissimo

Fanuèl

bian _ ca sto _ la. Ri _ po _ sa. O _ bli _ a.

pp   più p

Rubria

(dolcissimo e umile)

Chi _ nar... do _ vre _ i... le mie... gi _

87

poco sf

Rubria

(con voce affranta) (tenta di sollevarsi) (ricade)

_ nocchia... a ter _ ra din _ nanzi a te... Son fe _ rita, non

appena sensibile

col canto

pp

poco

119599

y

402

Rubria (sorridendo con soave malinconia)

Nar_rami an_co_ra, men_tre m'ad_dor_

Rubria *a tempo*

_men_to, del mar di Ti_be_ri_a_de, tranquil_la

Rubria *allarg.*

on_da che var_ca in Ga_li_le_a...

Fanuèl (quasi cullandola)

Lag_

Ancora più lento (*si batte ogni croma*) ♪=69

(colle mani giunte e gli occhi rivolti al cielo)

allarg. molto

Fanuèl *pp*

E scian le tur‿be o‿ran‿ti per la luna‿re aurora...

Ancora più lento (*si batte ogni croma*) ♪=69

pp

allarg. molto
svanendo

Asteria

Allegro trattenuto ♩=132

(ritorna scendendo velocemente la ripida scala)

Fanuèl

(sente Rubria inerte fra le sue braccia, la chiama)   (come parlando sottovoce)

Ru‿bria.

Allegro trattenuto ♩=132

col canto

cresc. rapidamente

pp

Asteria (agitatissima) *f*

(Fanuèl continua a ricercare la vita sul cadavere di Rubria)

L'in‿cen‿dio ne av‿vol‿ge!

98

ff violento

ff

Asteria (con tragico scoramento) · rall. pochissimo

O gni scam __po di là n'è tol __to.

Asteria *a tempo*

Di __vam__pàn le tor__ri, crol__lan gli

Asteria (vede un uscio sprangato nella parete sinistra) *con forza*

ar __chi. Ah! un lam_po di spe_

SI CHIUDE IL VELARIO

tutta forza e string. sino alla fine